Les recettes ont été rédigées par Cécile et Nadine JEANNE.

Les photographies sont de SAEP/Jean-Luc SYREN et Valérie WALTER.

La coordination a été assurée par SAEP/Éric ZIPPER.

Composition et photogravure : SAEP/Arts Graphiques.

Impression : Union Européenne.

Conception : SAEP CRÉATION
68040 INGERSHEIM - COLMAR

atout cake

ÉDITIONS S.A.E.P. 68040 INGERSHEIM - COLMAR

Signification des symboles accompagnant les recettes

X	Préparation très simple
X X	Préparation facile
X X X	Préparation élaborée
◎	Peu coûteuse
◎◎	Raisonnable
◎◎◎	Coûteuse
🍷🍾	Accord mets et vins

Le cake est un plat dans l'air du temps ; alors, ne vous laissez pas dépasser et adhérez à votre époque en pratiquant l'art du biscuit rectangulaire.

Ce gâteau vous offre une infinité de déclinaisons gustatives : notes sucrées ou salées, compositions de légumes, de poissons, de fromages ou de charcuteries, à tendance traditionnelle, exotique, voire fantaisiste ; tous les gourmands s'y retrouvent.

Il s'adapte à tous les régimes alimentaires et à tous les styles de vie.

Sa préparation est simple, rapide, et son coût est réduit.

Il se déguste à l'apéritif, en entrée, en plat principal ou unique, au dessert ou au goûter.

Sa présentation, en solo ou en duo avec d'autres aliments, vous permet de nombreuses combinaisons culinaires.

Il se conserve plusieurs jours et se transporte sous le manteau en cas de fringale.

Vous vous amuserez à le décorer, à le découper et à le servir au gré de vos inspirations.

Si vous possédez un moule à cake et un four, vous disposez du minimum nécessaire à l'exécution de ce nouvel art de cuisiner.

cakes salés

Conseils et astuces

Le matériel

(1) Un récipient (saladier, terrine, jatte) pour mélanger les ingrédients.

(2) Une spatule.

(3) Un moule à cake.

(4) Un fouet.

(5) Une balance.

(6) Un verre mesureur.

(7) Une planche à découper.

(8) Un couteau pointu.

(9) Un économe.

La préparation

✓ Il est préférable d'utiliser les aliments à température ambiante. Sortez-les 1 heure avant la préparation du cake.

✓ Suivez l'ordre indiqué dans la recette pour incorporer chaque ingrédient.

✓ Faites attention à les mélanger correctement, certains d'entre eux demandant plus de délicatesse dans le geste pour ne pas les abîmer ou les faire retomber.

✓ Faites ramollir le beurre dans une casserole sur feu très doux, il sera plus facile à incorporer au mélange.

✓ On peut rouler dans la farine les fruits et les légumes coupés en morceaux pour qu'ils ne tombent pas au fond du moule, mais se répartissent correctement dans la pâte.

✓ Il est indispensable de beurrer le moule à cake ou bien de le huiler pour que le gâteau n'attache pas ; vous pouvez aussi le fariner (saupoudrer le moule de farine après l'avoir beurré et le renverser en le tapotant pour éliminer l'excédent de farine).

Si vous n'utilisez pas un moule à cake à revêtement antiadhésif, tapissez votre moule de papier sulfurisé huilé, votre gâteau se démoulera sans aucune difficulté.

✓ Démouler le cake sur une grille permet à celui-ci de refroidir en s'aérant.

La cuisson

✓ Les temps de cuisson sont donnés à titre indicatif ; de nombreux éléments peuvent les faire varier. Le meilleur moyen de vérifier la cuisson du cake consiste à planter une lame de couteau dans celui-ci ; lorsqu'elle ressort sèche, le cake est cuit.

✓ Si vous voyez que le dessus du cake brunit trop vite, recouvrez-le d'une feuille de papier d'aluminium et poursuivez la cuisson.

Le service

✓ Les cakes sucrés se dégustent froids.

✓ Les cakes salés sont meilleurs tièdes, mais peuvent être dégustés froids. Servez-les en entrée ou en plat principal découpés en tranches un peu épaisses et accompagnez-les d'une salade verte ou d'une salade de légumes.

À l'apéritif, présentez-les découpés en cubes accompagnés de piques.

Cake aux artichauts et au poivron

6 pers.

Préparation : 30 min
Cuisson : 1 h 50 min

4 artichauts
1 citron
1 poivron rouge
10 g de beurre
150 g de farine
1 sachet de levure chimique
4 œufs
4 cuil. à soupe d'huile
15 cl de lait
150 g de gouda râpé
Sel, poivre.

Côtes-de-Provence :
vin rosé vif et aroma-
tique, servi de 8 à
10 °C.

Faire cuire les artichauts 30 minutes à l'eau bouillante salée et citronnée. Égoutter. Laisser tiédir, puis ôter les feuilles et le foin. Émincer les fonds.

Épépiner le poivron. Le couper en petits dés. Les faire blanchir 5 minutes à l'eau bouillante salée. Rafraîchir, égoutter puis les fariner ainsi que les fonds d'artichaut.

Beurrer un moule à cake.

Dans une terrine, déposer la farine et la levure. Creuser un puits au centre, ajouter les œufs, l'huile, le lait et une pincée de sel. Incorporer les fonds d'artichaut, les poivrons et le gouda. Poivrer légèrement.

Verser cette pâte dans le moule à cake. Cuire au four préchauffé à 180 °C (th. 6) pendant 1 heure 15 minutes. Une lame de couteau plantée dans le cake doit ressortir sèche. Démouler et servir tiède ou froid.

Cake au beaufort

Beurrer un moule à cake.

Couper le jambon et le fromage en dés.

Dans une terrine, mélanger la farine, la levure, le sel, le poivre et la muscade. Ajouter les œufs un à un en fouettant. Incorporer l'huile et le vin en mélangeant bien. Terminer par le fromage et le jambon en mélangeant délicatement.

Verser cette pâte dans le moule. Cuire au four préchauffé à 180 °C (th. 6) pendant 45 minutes. Une lame de couteau plantée dans le cake doit ressortir sèche. Démouler et servir tiède.

XX ©©

6 pers.

Préparation : 20 min
Cuisson : 45 min

10 g de beurre
150 g de jambon fumé
150 g de beaufort
250 g de farine
1 sachet de levure
1 pincée de noix de muscade râpée
4 œufs
10 cl d'huile
10 cl de vin blanc
Sel, poivre.

Vin de Savoie : vin blanc vif et bouqueté, servi à 8 °C.

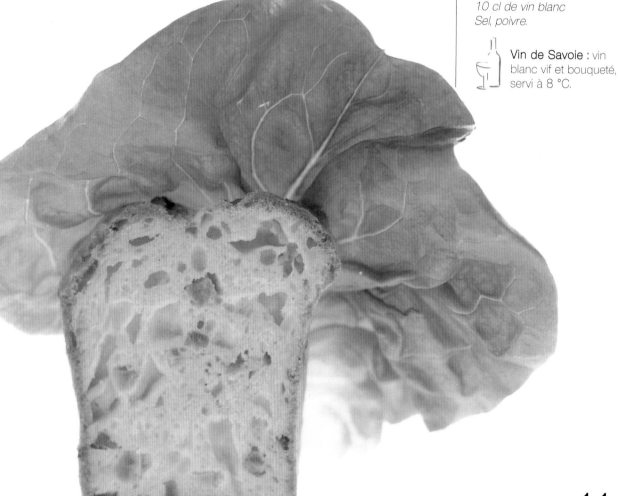

11

Cake aux carottes et à la ciboulette

XX ⬭

6 pers.

Préparation : 30 min
Cuisson : 1 h 15 min

10 g de beurre
500 g de carottes
1 orange
150 g de farine
1 sachet de levure
3 œufs
1 yaourt
1 pot de yaourt d'huile
1 cuil. à café de cumin en poudre
3 cuil. à soupe de ciboulette
60 g de poudre d'amande
Sel, poivre.

Pinot blanc : vin blanc d'Alsace, élégant, souple et équilibré, servi de 8 à 10 °C.

Beurrer un moule à cake.

Peler et râper les carottes finement. Râper les zestes d'orange.

Dans une terrine, mélanger la farine et la levure. Ajouter les œufs un à un, puis le yaourt, l'huile, le cumin, le sel, le poivre, les carottes râpées, les zestes d'orange, la ciboulette ciselée et la poudre d'amande. Bien mélanger.

Verser cette pâte dans le moule. Cuire au four préchauffé à 180 °C (th. 6) pendant 1 h 15 minutes. Une lame de couteau plantée dans le cake doit ressortir sèche. Démouler et servir tiède.

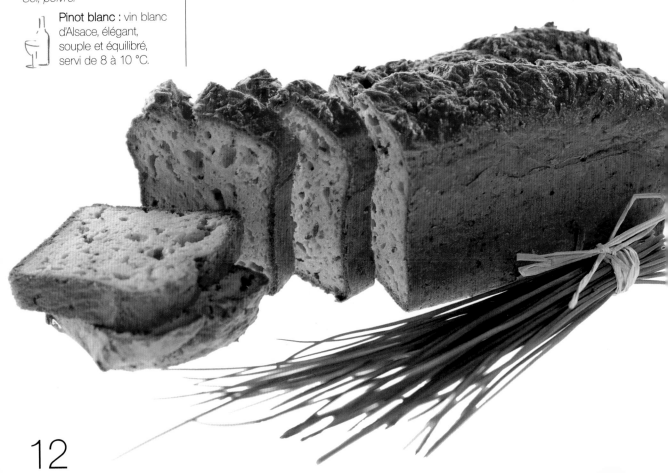

Cake aux carottes et aux épices

Laver et éplucher les carottes. Les couper en morceaux et les faire cuire à la vapeur pendant 20 minutes. Quand elles sont tendres sous la pointe du couteau, les égoutter et les réduire en purée à l'aide d'un moulin à légumes ou d'un mixeur.

Dans une terrine, battre les œufs en omelette. Y incorporer la purée de carottes, le cumin, la cannelle, le gingembre et la muscade, bien mélanger.

Saler et poivrer. Ajouter le sucre, la farine, la levure, le lait et 60 g de beurre ramolli.

Remuer de nouveau.

Verser la pâte dans un moule à cake beurré. Cuire au four préchauffé à 180 °C (th. 6) pendant 45 minutes. Une lame de couteau plantée dans le cake doit ressortir sèche. Démouler et servir tiède ou froid.

6 pers.

Préparation : 25 min
Cuisson : 1 h 05 min

4 grosses carottes
2 œufs
1 cuil. à soupe de graines de cumin
1 cuil. à café de cannelle en poudre
1 cuil. à café de gingembre en poudre
Une pincée de muscade râpée
30 g de sucre en poudre
50 g de farine
1 sachet de levure chimique
15 cl de lait
70 g de beurre
Sel, poivre.

Gewurztraminer : vin blanc aromatique légèrement épicé, servi de 10 à 12 °C.

Cake aux champignons

XX ⌇⌇

6 pers.

Préparation : 20 min
Cuisson : 40 min

250 g de champignons de
Paris
40 g de beurre
1 tranche épaisse de jambon
blanc
100 g de gruyère
3 branches de persil
4 œufs
10 cl d'huile
2 cuil. à soupe de moutarde
200 g de farine
1/2 sachet de levure
chimique
Sel, poivre.

Fronsac : vin rouge épicé au caractère charnu, servi de 16 à 18 °C.

Ôter le pied sableux des champignons, les laver rapidement, les égoutter et les couper en lamelles. Faire fondre 30 g de beurre dans une sauteuse, ajouter les champignons et les laisser étuver à feu doux tout en remuant de temps en temps.

Beurrer un moule à cake.

Découper le jambon et le gruyère en dés. Laver le persil, l'éponger puis le hacher.

Dans une terrine, battre les œufs en omelette puis ajouter l'huile, la moutarde, le sel et le poivre.

Incorporer petit à petit la farine et la levure pour obtenir une pâte lisse.

Ajouter les dés de jambon et de gruyère, les champignons et le persil. Bien mélanger.

Cuire au four préchauffé à 180 °C (th. 6) pendant 30 minutes. Une lame de couteau plantée dans le cake doit ressortir sèche. Laisser tiédir le cake avant de le démouler. Servir tiède ou froid.

Cake au cumin

Beurrer un moule à cake.

Dans une terrine, mélanger la farine, la levure et le cumin en poudre.

Dans un bol, battre les œufs avec les huiles et le lait. Saler et poivrer. Verser ce mélange dans la terrine. Mélanger délicatement et ajouter l'emmental râpé et les graines de cumin.

Cuire au four préchauffé à 180 °C (th. 6) pendant 50 minutes. Une lame de couteau plantée dans le cake doit ressortir sèche. Servir tiède ou froid.

6 pers.

Préparation : 15 min
Cuisson : 50 min

10 g de beurre
180 g de farine
1 sachet de levure chimique
1 cuil. à soupe de cumin en poudre
3 œufs
10 cl d'huile d'olive
4 cuil. à café d'huile d'arachide
10 cl de lait
100 g d'emmental râpé
2 cuil. à soupe de graines de cumin
Sel, poivre.

Bordeaux blancs : vins fruités et nerveux à la robe légère, servis de 8 à 10 °C.

Cake à la dinde et au thé

XX ◎◎◎

6 pers.

Préparation : 20 min
Cuisson : 55 min
Repos : 10 min

30 g de beurre
20 cl de crème fraîche
liquide
2 cuil. à soupe de thé fumé
200 g d'escalope de dinde
100 g de pignons de pin
150 g de farine
1 sachet de levure
3 œufs.

Tokay : vin blanc d'Alsace au goût légèrement fumé, servi de 8 à 10 °C.

Beurrer un moule à cake.

Faire chauffer la crème fraîche sur feu doux. Hors du feu, ajouter les feuilles de thé, laisser infuser pendant 10 minutes puis filtrer. Découper l'escalope de dinde en dés, les faire dorer à la poêle dans 20 g de beurre puis ajouter les pignons et faire revenir quelques minutes.

Dans une terrine, amalgamer la farine et la levure. Creuser un puits, y déposer les œufs et mélanger. Délayer avec la crème fraîche. Incorporer la viande et les pignons. Verser cette pâte dans un moule à cake beurré. Cuire au four préchauffé à 180 °C (th. 6) pendant 45 minutes. Une lame de couteau plantée dans le cake doit ressortir sèche. Démouler sur une grille et servir tiède.

Cake à la feta et au basilic

X ◎◎

6 pers.

Préparation : 20 min
Cuisson : 45 min

10 g de beurre
1 petit bouquet de basilic
200 g de feta
150 g de farine
1 sachet de levure chimique
3 œufs
10 cl d'huile d'olive
12 cl de lait
100 g de gruyère râpé
Sel, poivre.

Corbières : vin blanc sec et aromatique, servi de 8 à 9 °C.

Beurrer un moule à cake.

Laver le basilic et découper les feuilles à l'aide de ciseaux. Couper la feta en dés.

Dans une terrine, mélanger la farine, la levure, le sel et le poivre. Ajouter les œufs un à un en fouettant. Incorporer l'huile, le lait en mélangeant bien. Terminer par le gruyère râpé, la feta et le basilic en mélangeant délicatement.

Verser cette pâte dans le moule. Cuire au four préchauffé à 150 °C (th. 5) pendant 45 minutes. Une lame de couteau plantée dans le cake doit ressortir sèche. Démouler et servir tiède.

Cake au jambon et aux herbes

6 pers.

Préparation : 30 min
Cuisson : 1 h 05 min

150 g de jambon blanc
4 œufs
160 g de beurre
250 g de farine
1/2 sachet de levure
chimique
150 g de gruyère râpé
2 cuil. à soupe de persil
haché
2 cuil. à soupe de cerfeuil
haché
2 cuil. à soupe de ciboulette
hachée
2 cuil. à soupe de vin blanc
sec
Sel, poivre.

Bordeaux blancs :
génériques, servis de
8 à 10 °C.

Couper le jambon en dés. Séparer les blancs d'œufs des jaunes. Ajouter une pincée de sel dans les blancs et les monter en neige ferme.

Dans une terrine, fouetter 150 g de beurre ramolli et les jaunes d'œufs. Ajouter la farine et la levure en mélangeant bien puis le jambon, le gruyère, les herbes, le vin blanc, le sel et le poivre. Incorporer délicatement les blancs montés en neige.

Verser cette pâte dans un moule à cake beurré. Cuire au four préchauffé pendant 20 minutes à 200 °C (th. 6-7) puis baisser le thermostat à 180 °C (th. 6) et poursuivre la cuisson pendant 45 minutes. Une lame de couteau plantée dans le cake doit ressortir sèche. Démouler et servir tiède.

Cake à la farine de châtaigne et au jambon

Faire tremper les raisins dans de l'eau tiède. Couper le jambon en lanières et les faire revenir dans une poêle avec 10 g de beurre jusqu'à ce qu'elles croustillent.

Dans une terrine, mélanger les farines et la levure. Creuser un puits, y déposer les œufs et mélanger.

Ajouter le yaourt en fouettant, saler et poivrer puis incorporer le parmesan, le jambon, les pignons et les raisins secs égouttés.

Verser cette pâte dans un moule à cake beurré. Cuire au four préchauffé à 180 °C (th. 6) pendant 45 minutes. Une lame de couteau plantée dans le cake doit ressortir sèche. Démouler et servir tiède.

XX ✆✆✆

6 pers.

Préparation : 15 min
Cuisson : 50 min

50 g de raisins secs
100 g de jambon fumé
20 g de beurre
50 g de farine de châtaigne
100 g de farine de blé
1 sachet de levure chimique
3 œufs
1 yaourt
50 g de parmesan râpé
50 g de pignons
Sel, poivre.

Bordeaux rouges : équilibrés et toniques, servis de 16 à 18 °C.

Cake aux deux jambons

6 pers.

Préparation : 20 min
Cuisson : 40 min

10 g de beurre
2 tranches de jambon blanc
2 tranches de jambon fumé
100 g de farine
1 sachet de levure chimique
3 œufs
10 cl de lait
10 cl d'huile
200 g de comté râpé
Sel, poivre.

Coteaux du Lyonnais : vin rouge fruité et charpenté, servi à 14 °C.

Beurrer un moule à cake.

Couper les tranches de jambon en dés.

Dans une terrine, mélanger la farine et la levure. Creuser un puits, y déposer les œufs et délayer avec le lait et l'huile en fouettant. Saler, poivrer. Ajouter le comté râpé et les dés de jambon.

Verser cette pâte dans le moule. Cuire au four préchauffé à 180 °C (th. 6) pendant 40 minutes. Une lame de couteau plantée dans le cake doit ressortir sèche. Démouler et servir tiède ou froid.

Cake au jambon et aux noix

Couper le jambon en dés. Les faire revenir dans une poêle avec 10 g de beurre jusqu'à ce qu'ils croustillent. Hacher grossièrement les cerneaux de noix.

Dans une terrine, mélanger la farine et la levure. Creuser un puits, y déposer les œufs. Mélanger puis délayer avec le lait et l'huile en fouettant. Saler, poivrer. Ajouter le comté et le gruyère râpés, les dés de jambon et les cerneaux de noix hachés.

Verser cette pâte dans un moule à cake beurré. Cuire au four préchauffé à 180 °C (th.6) pendant 1 heure. Une lame de couteau plantée dans le cake doit ressortir sèche. Démouler et servir tiède ou froid.

XX ⊘⊘

6 pers.

Préparation : 25 min
Cuisson : 1 h 05 min

1 tranche épaisse de jambon cru
20 g de beurre
80 g de cerneaux de noix
110 g de farine
1 sachet de levure chimique
4 œufs
5 cl de lait
2 cuil. à soupe d'huile
50 g de comté râpé
50 g de gruyère râpé
Sel, poivre.

Côtes-du-Rhône : vin rouge fruité et gouleyant, servi à 15 °C.

21

Cake aux lardons et aux pruneaux

XX ◎◎

6 pers.

Préparation : 15 min
Cuisson : 50 min

*100 g de pruneaux
dénoyautés
200 g de lardons fumés
20 g de beurre
150 g de farine
1 sachet de levure chimique
3 œufs
5 cl d'huile
5 cl de lait
Sel, poivre.*

Tokay : vin blanc
d'Alsace puissant et
moelleux, servi de 8 à
10 °C.

Faire tremper les pruneaux dans de l'eau tiède. Faire dorer les lardons à la poêle dans 10 g de beurre, puis les égoutter sur du papier absorbant. Égoutter les pruneaux et les couper en morceaux.

Dans une terrine, mélanger la farine et la levure.

Creuser un puits, y déposer les œufs et délayer avec l'huile et le lait en fouettant.

Ajouter les lardons et les pruneaux. Saler, poivrer. Verser cette pâte dans un moule à cake beurré.

Cuire au four préchauffé à 150 °C (th. 5) pendant 45 minutes. Une lame de couteau plantée dans le cake doit ressortir sèche. Démouler et servir tiède.

Cake aux lardons et aux olives

XX ◎◎

6 pers.

Préparation : 15 min
Cuisson : 50 min

*200 g de lardons fumés
20 g de beurre
200 g d'olives noires
dénoyautées
300 g de farine
1 sachet de levure chimique
4 œufs
20 cl d'huile d'olive
20 cl de lait
50 g de noisettes mondées
Sel, poivre.*

Côtes-de-Provence :
vin rouge au parfum
de fruits rouges, servi
de 14 à 16 °C.

Faire dorer les lardons à la poêle dans 10 g de beurre, puis les égoutter sur du papier absorbant. Égoutter les olives et les passer sous l'eau tiède.

Dans une terrine, mélanger la farine et la levure. Creuser un puits, y déposer les œufs et délayer avec l'huile et le lait en fouettant. Ajouter les lardons, les noisettes et les olives. Saler, poivrer.

Verser cette pâte dans un moule à cake beurré. Cuire au four à 180 °C (th. 6) pendant 45 minutes. Une lame de couteau plantée dans le cake doit ressortir sèche. Laisser reposer 5 minutes avant de démouler et servir tiède.

Cake aux lardons et aux oignons

XX ⊖⊖

6 pers.

Préparation : 20 min
Cuisson : 55 min

10 g de beurre
100 g d'oignons
10 cl d'huile + 1 cuil. à soupe
200 g de lardons fumés
1 cuil. à soupe de crème fraîche épaisse
150 g de farine
1 sachet de levure chimique
3 œufs
12 cl de lait
100 g de gruyère râpé
Sel, poivre.

Pinot noir : vin rosé, délicatement fruité, servi de 8 à 10 °C.

Beurrer un moule à cake.

Émincer les oignons et les faire revenir dans la poêle dans 1 cuillerée à soupe d'huile. Lorsqu'ils sont dorés, ajouter les lardons et laisser rissoler quelques minutes. Retirer du feu et incorporer la crème fraîche.

Dans une terrine, mélanger la farine et la levure. Creuser un puits, y déposer les œufs et délayer avec le reste d'huile et le lait en fouettant.

Ajouter délicatement, le gruyère râpé et le mélange oignons-lardons. Saler, poivrer. Verser cette pâte dans le moule.

Cuire au four préchauffé à 180 °C (th. 6) pendant 45 minutes. Une lame de couteau plantée dans le cake doit ressortir sèche. Démouler et servir tiède.

Cake aux lardons, au parmesan et aux petits pois

Faire dorer les lardons à la poêle dans 10 g de beurre.

Dans une terrine, mélanger la farine et la levure. Creuser un puits, y déposer les œufs et délayer avec l'huile d'olive et la crème en fouettant. Ajouter le parmesan, les petits pois, les lardons et le cumin. Saler, poivrer.

Verser cette pâte dans un moule à cake beurré.

Cuire au four préchauffé à 150 °C (th. 5) pendant 45 minutes. Une lame de couteau plantée dans le cake doit ressortir sèche. Laisser tiédir 10 minutes avant de démouler et servir tiède ou froid.

6 pers.

Préparation : 15 min
Cuisson : 50 min

100 g de lardons fumés
20 g de beurre
200 g de farine
1 sachet de levure chimique
3 œufs
5 cl d'huile d'olive
5 cl de crème fraîche liquide
50 g de parmesan râpé
50 g de petits pois écossés cuits
1/2 cuil. à café de cumin en poudre
Sel, poivre.

Saint-Nicolas-de-Bourgueil : vin rouge au bouquet de framboise, servi de 14 à 16 °C.

25

Cake aux olives vertes

XX ⊙⊙

6 pers.

Préparation : 20 min
Cuisson : 50 min

10 g de beurre
200 g de jambon fumé en une seule tranche
250 g de farine
1 sachet de levure chimique
4 œufs
10 cl d'huile
15 cl de vin blanc sec
5 cl de vermouth (facultatif)
200 g d'olives vertes dénoyautées
150 g de gruyère râpé
Sel, poivre.

Côtes-de-Provence : vin blanc vif et aromatique, servi de 8 à 10 °C.

Beurrer un moule à cake. Détailler le jambon en dés.

Dans une terrine, mélanger la farine, la levure et les œufs jusqu'à ce que le mélange soit homogène.

Ajouter l'huile puis le vin blanc et le vermouth en mélangeant bien.

Incorporer les olives, le jambon coupé en dés et le gruyère râpé. Saler, poivrer. Verser le tout dans le moule.

Cuire au four préchauffé à 180 °C (th. 6) pendant 50 minutes. Une lame de couteau plantée dans le cake doit ressortir sèche. Servir tiède ou froid.

Cake brioché aux olives et à l'ossau-iraty

Couper le fromage en petits dés.

Mélanger la farine, le sel et du poivre. Faire un puits au centre et incorporer la levure comme indiqué sur le paquet. Ajouter 70 g de beurre, les œufs, les olives et le fromage. Mélanger le tout et pétrir, de préférence au robot, jusqu'à l'obtention d'une pâte lisse et élastique (5 minutes au robot).

Recouvrir la pâte d'un torchon et la laisser reposer pendant 2 heures (elle va doubler de volume).

Beurrer un moule à cake. Pétrir la pâte une nouvelle fois et la déposer dans le moule. Recouvrir d'un torchon et laisser reposer pendant 1 heure.

Saupoudrer le cake de cumin et dessiner des croisillons dans la pâte avec la pointe d'un couteau. Cuire pendant 45 minutes à 180 °C (th. 6) dans le bas du four préchauffé. Une lame de couteau plantée dans le cake doit ressortir sèche. Démouler sur une grille et laisser tiédir avant de servir.

XXX ⊚⊚

6 pers.

Préparation : 20 min
Cuisson : 45 min
Repos : 3 h

125 g d'ossau-iraty (fromage de brebis du Pays basque)
250 g de farine
10 g de levure de boulanger
80 g de beurre mou
3 œufs
125 g d'olives noires dénoyautées
1 cuil. à café de cumin
1/2 cuil. à café de sel
Poivre.

Cahors : vin rouge du Sud-Ouest aux parfums subtils, servi de 14 à 16 °C.

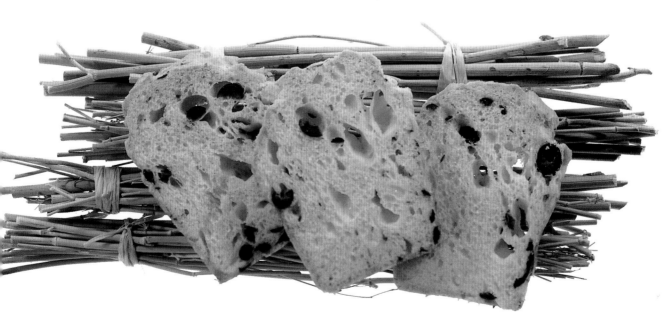

Cake aux poivrons, au chèvre et aux lardons

✗ ✗ ✗ ◎◎

6 pers.

Préparation : 25 min
Cuisson : 1 h 10 min

1 petit poivron vert
1 petit poivron jaune
1 petit poivron rouge
20 g de beurre
200 g de lardons
Basilic haché
100 g de chèvre frais
3 œufs
150 g de farine
1 sachet de levure chimique
10 cl d'huile d'olive
10 cl de lait
Sel, poivre.

Sancerre : vin blanc ferme du Val de Loire, servi de 8 à 10 °C.

Régler le four sur la position gril. Placer une grille au plus près de la source de chaleur et y déposer les poivrons entiers. Les tourner en cours de cuisson pour que chacune de leurs faces devienne noire (15 à 20 minutes). Hors du four, retirer la peau des poivrons, les épépiner et les découper en dés. Dans une poêle, faire fondre 10 g de beurre et faire revenir les lardons quelques minutes puis ajouter les poivrons et le basilic. Laisser cuire pendant 2 minutes. Écraser le fromage de chèvre à la fourchette.

Beurrer un moule à cake.

Dans une terrine, mélanger les œufs, la farine et la levure. Ajouter l'huile et le lait en fouettant puis le fromage de chèvre et le mélange lardons-poivrons-basilic. Saler légèrement et poivrer.

Cuire au four préchauffé à 180 °C (th.6) pendant 45 minutes. Une lame de couteau plantée dans le cake doit ressortir sèche. Laisser refroidir avant de démouler.

Servir accompagné d'une salade tomates-mozzarella-basilic assaisonnée à l'huile d'olive.

Cake au potiron et aux lardons

Retirer l'écorce et les graines du potiron. Rincer, égoutter, puis découper la chair en dés.

Cuire dans l'eau bouillante salée (30 minutes) ou à la vapeur. Égoutter et réduire en purée.

Faire revenir les lardons à la poêle dans 10 g de beurre puis les égoutter.

Dans une terrine, mélanger la farine et la levure. Creuser un puits, déposer les œufs et délayer avec le lait en fouettant.

Ajouter 60 g de beurre fondu en tournant, puis la purée de potiron, les lardons, les pignons de pin et la noix de muscade. Mélanger. Saler, poivrer. Verser cette pâte dans un moule à cake beurré.

Cuire au four préchauffé à 180 °C (th. 6) pendant 1 heure 15 minutes environ. Une lame de couteau plantée dans le cake doit ressortir sèche. Démouler et servir tiède.

6 pers.

Préparation : 15 min
Cuisson : 1 h 50 min

700 g de potiron
150 g de lardons
80 g de beurre
150 g de farine
1 sachet de levure
3 œufs
10 cl de lait
50 g de pignons de pin
Une pincée de noix de muscade râpée
Sel, poivre.

Bordeaux blancs : génériques, servis de 8 à 10 °C.

Cake au poulet et à l'estragon

X X ✆✆

6 pers.

Préparation : 20 min
Cuisson : 1 h 05 min

4 brins d'estragon
2 belles courgettes
200 g de blancs de poulet
10 cl d'huile d'olive + 1 cuil. à
soupe
10 g de beurre
3 œufs
150 g de farine
1 sachet de levure chimique
10 cl de lait
100 g de gruyère râpé
Sel, poivre.

Graves : vin blanc fin
et puissant, bouqueté
à la saveur franche,
servi de 8 à 10 °C.

Porter une casserole d'eau salée contenant 1 brin d'estragon à ébullition. Laver et essuyer les courgettes. Retirer les extrémités puis les couper en rondelles. Les faire cuire pendant 10 minutes dans l'eau et les égoutter.

Couper les blancs de poulet en lamelles. Dans une poêle, faire chauffer 1 cuillerée à soupe d'huile puis faire revenir les lamelles de poulet avec le reste d'estragon effeuillé jusqu'à ce que la viande soit bien dorée. Saler et poivrer.

Ajouter les courgettes pendant quelques minutes.

Beurrer un moule à cake.

Dans une terrine, mélanger les œufs, la farine et la levure. Incorporer le reste d'huile et le lait en fouettant. Ajouter le contenu de la poêle et le gruyère râpé à ce mélange. Verser cette pâte dans le moule.

Cuire au four préchauffé à 180 °C (th. 6) pendant 45 minutes. Une lame de couteau plantée dans le cake doit ressortir sèche. Laisser refroidir avant de démouler et de servir.

Cake au roquefort et aux noix

Beurrer un moule à cake.

Dans une poêle, faire revenir les lardons dans 1 cuillerée à soupe d'huile pendant quelques minutes.

Faire tiédir le lait. Écraser le roquefort à la fourchette.

Dans une terrine, mélanger la farine, la levure, le sel et le poivre. Ajouter les œufs un à un en fouettant. Incorporer l'huile restante, le lait tiède, le gruyère râpé, le roquefort, le lard et les noix en mélangeant bien.

Verser cette pâte dans le moule. Cuire au four préchauffé à 180 °C (th. 6) pendant 45 minutes. Une lame de couteau plantée dans le cake doit ressortir sèche. Démouler et servir tiède.

6 pers.

Préparation : 25 min
Cuisson : 50 min

10 g de beurre
50 g de lardons fumés
10 cl d'huile + 1 cuil. à soupe
12 cl de lait
150 g de roquefort
150 g de farine
1 sachet de levure chimique
3 œufs
100 g de gruyère râpé
50 g de cerneaux de noix
Sel, poivre.

Châteauneuf-du-Pape : vin rouge corsé et généreux, servi de 15 à 16 °C.

Cake au poivron, à la feta et aux olives

XXX ∽∽

6 pers.

Préparation : 15 min
Cuisson : 1 h 50 min

1 petit poivron vert
1 petit poivron rouge
8 cl d'huile d'olive + 2 cuil. à
soupe
150 g de feta
50 g d'olives noires
dénoyautées
10 g de beurre
150 g de farine
1 sachet de levure chimique
3 œufs
12 cl de lait
100 g de gruyère râpé
Sel, poivre.

Côtes-de-Provence : vin rosé vif et aromatique, servi de 8 à 10 °C.

Régler le four sur la position gril. Placer une grille au plus près de la source de chaleur et y déposer les poivrons entiers. Les tourner en cours de cuisson pour que chacune de leurs faces devienne noire (15 à 20 minutes). Hors du four, retirer la peau des poivrons, les épépiner et les découper en lamelles.

Dans une poêle, faire revenir les poivrons dans 2 cuillerées à soupe d'huile d'olive. Saler, poivrer. Laisser cuire doucement pendant 45 minutes. Couper la feta en dés et les olives en deux.

Beurrer un moule à cake.

Dans une terrine, mélanger la farine et la levure, ajouter les œufs un à un. Délayer avec l'huile restante et le lait, puis incorporer le gruyère râpé, les poivrons, la feta et les olives.

Verser cette pâte dans le moule. Cuire au four préchauffé à 180 °C (th. 6) pendant 45 minutes. Une lame de couteau plantée dans le cake doit ressortir sèche. Démouler et servir tiède.

Cake au chèvre, aux noix et aux raisins

Faire macérer les raisins dans de l'eau tiède. Écraser le fromage de chèvre à la fourchette. Concasser les cerneaux de noix. Faire tiédir le lait.

Beurrer un moule à cake.

Dans une terrine, mélanger la farine, la levure, le sel et le poivre. Ajouter les œufs un à un en battant, puis incorporer l'huile, le lait tiède, le gruyère râpé et le chèvre écrasé en mélangeant bien. Compléter avec les cerneaux de noix et les raisins égouttés.

Verser cette pâte dans le moule. Cuire au four préchauffé à 180 °C (th. 6) pendant 1 heure en n'hésitant pas à couvrir le moule d'un papier d'aluminium si le dessus du cake brunit trop rapidement. Une lame de couteau plantée dans le cake doit ressortir sèche. Démouler et servir tiède.

6 pers.

Préparation : 30 min
Cuisson : 1 h

50 g de raisins
200 g de fromage de chèvre frais
50 g de cerneaux de noix
12 cl de lait
10 g de beurre
150 g de farine
1 sachet de levure chimique
3 œufs
10 cl d'huile
100 g de gruyère râpé
Sel, poivre.

Corbières : vin blanc sec et aromatique servi de 8 à 9 °C.

Cake aux Saint-Jacques et aux poireaux

XX ⊚⊚⊚

6 pers.

Préparation : 15 min
Cuisson : 1 h

*200 g de noix de
Saint-Jacques
1 cuil. à soupe d'huile d'olive
1/2 cuil. à café de curry en
poudre
150 g de blancs de poireau
30 g de beurre
150 g de farine
1 sachet de levure chimique
3 œufs
10 cl d'huile
12 cl de lait
100 g de gruyère râpé
50 g de parmesan râpé
Sel, poivre.*

Champagne brut : vif
et brillant, servi de
6 à 8 °C.

Laver les noix de Saint-Jacques, les égoutter et les sécher dans du papier absorbant. Les couper en gros dés et les faire revenir à la poêle dans l'huile d'olive pendant 1 minute. Saupoudrer de curry.

Laver les blancs de poireau et les couper en fines lamelles. Les faire revenir à la poêle dans 20 g de beurre pendant 10 minutes. Saler, poivrer et les mélanger aux noix de Saint-Jacques.

Dans une terrine, mélanger la farine et la levure avec les œufs. Ajouter l'huile, le lait, le gruyère râpé et le parmesan en mélangeant bien.

Incorporer délicatement le mélange Saint-Jacques-poireaux. Verser cette pâte dans un moule à cake beurré.

Cuire au four préchauffé à 180 °C (th. 6) pendant 45 minutes. Une lame de couteau plantée dans le cake doit ressortir sèche. Démouler et servir tiède.

Cake au saumon

Beurrer et fariner un moule à cake.

Épépiner le poivron et le couper en dés.

Tailler la chair de saumon en dés.

Dans une terrine, battre les œufs, le vin blanc et l'huile d'olive. Ajouter le reste de farine, la levure, le sel et le poivre. Incorporer l'aneth haché, les dés de poivron rouge puis la chair de saumon. Verser cette pâte dans le moule.

Cuire au four préchauffé à 160 °C (th. 5-6) pendant 45 minutes. Une lame de couteau plantée dans le cake doit ressortir sèche. Démouler et servir tiède.

XX ๑๑๑

6 pers.

Préparation : 20 min
Cuisson : 45 min

10 g de beurre
200 g de farine + 1 cuil. à soupe
1/2 poivron rouge
300 g de chair de saumon cuite
4 œufs
10 cl de vin blanc
7,5 cl d'huile d'olive
10 g de levure chimique
1 cuil. à soupe d'aneth haché
Sel, poivre.

Riesling : vin blanc d'Alsace au bouquet vif et pointu, servi de 8 à 10 °C.

Cake au thon et au poivron

XXX ⌖⌖

6 pers.

Préparation : 15 min
Cuisson : 1 h 30 min

1 poivron rouge
1 cuil. à soupe d'huile d'olive
200 g de thon au naturel
10 g de beurre
150 g de farine
1 sachet de levure
3 œufs
10 cl d'huile
12 cl de lait
100 g de gruyère râpé
Sel, poivre.

Coteaux du Languedoc : vin blanc sec et fruité, servi de 6 à 8 °C.

Régler le four sur la position gril. Placer une grille au plus près de la source de chaleur et y déposer le poivron entier. Le tourner en cours de cuisson pour que chacune de ses faces devienne noire (15 à 20 minutes). Baisser le thermostat à 180 °C (th. 6).

Hors du four, retirer la peau du poivron, l'épépiner et le découper en lamelles. Le faire revenir dans une poêle avec 1 cuillerée à soupe d'huile d'olive pendant 20 minutes, puis ajouter le thon émietté. Saler, poivrer et faire rissoler pendant 5 minutes. Beurrer un moule à cake.

Dans une terrine, mélanger la farine et la levure. Incorporer les œufs un à un en fouettant. Ajouter l'huile, le lait, le gruyère râpé, puis le mélange thon-poivron. Verser cette pâte dans le moule. Cuire au four pendant 45 minutes. Une lame de couteau plantée dans le cake doit ressortir sèche. Démouler et servir tiède.

Cake au thon, à la tomate et aux amandes

Beurrer et fariner un moule à cake.

Passer les olives sous l'eau tiède et les égoutter.

Dans une terrine, mélanger le reste de farine, la levure, le poivre et le sel. Creuser un puits.

Y déposer les œufs et délayer avec le lait et l'huile jusqu'à l'obtention d'une pâte lisse.

Incorporer les miettes de thon, l'emmental, les olives vertes et les amandes. Bien mélanger.

Verser cette pâte dans le moule. Cuire au four préchauffé à 180 °C (th. 6) pendant 45 minutes. Une lame de couteau plantée dans le cake doit ressortir sèche. Démouler et servir tiède.

6 pers.

Préparation : 20 min
Cuisson : 45 min

10 g de beurre
100 g de farine + 1 cuil. à soupe pour le moule
160 g d'olives vertes dénoyautées
1 sachet de levure chimique
3 œufs
10 cl de lait
10 cl d'huile
320 g de miettes de thon à la tomate
100 g d'emmental râpé
125 g d'amandes effilées
Sel, poivre.

Côtes-de-Provence : vin blanc vif et aromatique, servi de 8 à 10 °C.

Cake aux tomates séchées, aux amandes et au basilic

XX ∞∞

6 pers.

Préparation : 20 min
Cuisson : 50 min

10 g de beurre
150 g de tomates séchées
200 g de farine
1 sachet de levure chimique
4 œufs
10 cl de vin blanc sec
5 cl d'huile d'olive
50 g d'amandes effilées
2 cuil. à soupe de basilic
ciselé
Sel, poivre.

Vins blancs secs du Sud-Ouest, servis de 10 à 12 °C.

Beurrer un moule à cake.

Couper les tomates en morceaux.

Dans une terrine, mélanger la farine et la levure. Creuser un puits, y déposer les œufs et délayer avec le vin blanc et l'huile en fouettant. Ajouter les amandes, les tomates et le basilic.

Verser la pâte dans le moule.

Cuire au four préchauffé à 150 °C (th. 5) pendant 50 minutes. Une lame de couteau plantée dans le cake doit ressortir sèche. Laisser reposer 10 minutes avant de démouler. Servir tiède ou froid.

Cake salé des quatre-saisons

Après les avoir épluchées, couper les courgettes en dés et émincer les carottes. Couper le pied sableux des champignons de Paris, les laver puis les émincer.

Prélever et hacher le zeste de l'orange et du citron.

Ébouillanter les courgettes et les carottes pendant 5 minutes à l'eau salée.

Faire revenir les champignons dans 20 g de beurre à la poêle pendant quelques minutes.

Fariner tous les légumes.
Beurrer un moule à cake.

Dans une terrine, mélanger le reste de farine, la levure, les œufs, 180 g de beurre ramolli et les zestes des agrumes. Saler au sel de céleri et poivrer. Verser cette préparation dans le moule. Cuire au four préchauffé à 210 °C (th. 7) pendant 45 minutes. Une lame de couteau plantée dans le cake doit ressortir sèche. Démouler et servir tiède.

6 pers.

Préparation : 20 min
Cuisson : 55 min

150 g de courgettes
150 g de carottes
150 g de champignons de Paris
1 orange
1 citron
210 g de beurre
250 g de farine + 1 cuil. à soupe pour les légumes
1 sachet de levure chimique
6 œufs
Sel de céleri, poivre.

Lirac : vin rosé des Côtes-du-Rhône nerveux et corsé, servi de 10 à 12 °C.

39

Cake aux amandes

XX ⌇⌇

6 pers.

Préparation : 20 min
Cuisson : 25 min

10 g de beurre
100 g de raisins
4 œufs
Une pincée de sel
225 g de sucre en poudre
90 g d'amandes en poudre
50 g de farine
20 g d'amandes effilées.

Vin d'Anjou : vin blanc moelleux du Val de Loire, servi de 8 à 10 °C.

Beurrer un moule à cake.

Faire macérer les raisins dans de l'eau tiède.

Séparer les blancs d'œufs des jaunes. Monter les blancs en neige avec une pincée de sel.

Dans une terrine, fouetter le sucre et les jaunes d'œufs jusqu'à l'obtention d'une crème homogène.

Incorporer les amandes en poudre, les raisins égouttés et la farine.

Ajouter les blancs d'œufs en remuant délicatement. Verser cette préparation dans le moule.

Égaliser la surface et saupoudrer d'amandes effilées.

Cuire au four préchauffé à 170 °C (th. 5-6) pendant 25 minutes. Une lame de couteau plantée dans le cake doit ressortir sèche. Laisser refroidir avant de démouler et de servir.

Cake aux abricots secs

X ⌇⌇

6 pers.

Préparation : 15 min
Cuisson : 1 h
Repos : 1 h

10 g de beurre
125 g de muesli
50 g de sucre roux
75 g d'abricots secs hachés
30 cl de jus de pomme
125 g de farine complète
2 cuil. à café de levure chimique
50 g de noisettes hachées.

Muscat de Rivesaltes : vin doux naturel, servi à 10 °C.

Beurrer un moule à cake.

Dans une terrine, mélanger le muesli, le sucre, les abricots hachés, le jus de pomme et laisser mariner pendant 1 heure.

Ajouter la farine, la levure, les noisettes (sauf 1 cuillerée à soupe) et battre vigoureusement.

Verser cette pâte dans le moule, saupoudrer du reste de noisettes hachées.

Cuire au four préchauffé à 180 °C (th. 6) pendant 1 heure. Une lame de couteau plantée dans le cake doit ressortir sèche. Démouler sur une grille et laisser refroidir.

Cake à l'ananas

6 pers.

Préparation : 20 min
Cuisson : 1 h

10 g de beurre
1 petite boîte d'ananas
en tranches
150 g de sucre en poudre
3 œufs
200 g de farine
1/2 sachet de levure
chimique
12 cl d'huile
1 cuil. à café de cannelle en
poudre.

Jurançon moelleux :
aux arômes de fruits
exotiques, servi de 8
à 10 °C.

Beurrer un moule à cake.

Découper les tranches d'ananas en quatre.

Dans une terrine, fouetter le sucre et les œufs jusqu'à l'obtention d'une crème homogène. Incorporer petit à petit la farine et la levure. Délayer avec l'huile. Ajouter la cannelle et l'ananas.

Verser cette pâte dans le moule.

Cuire au four préchauffé à 150 °C (th. 5) pendant 1 heure. Une lame de couteau plantée dans le cake doit ressortir sèche. Démouler sur une grille et laisser refroidir avant de servir.

Cake à l'ananas et au gingembre

Beurrer un moule à cake.

Prélever le zeste et le jus de la moitié d'orange et du demi-citron.

Dans une terrine, fouetter le sucre et 175 g de beurre ramolli jusqu'à l'obtention d'une crème homogène.

Ajouter les œufs un à un puis la farine, le sel et la levure. Délayer avec les jus de fruits.

Incorporer les zestes de fruits et les dés de fruits confits.

Verser cette pâte dans le moule. Cuire au four préchauffé à 180 °C (th. 6) pendant 1 heure. Une lame de couteau plantée dans le cake doit ressortir sèche. Démouler et laisser refroidir avant de servir.

6 pers.

Préparation : 20 min
Cuisson : 1 h

185 g de beurre
1/2 orange
1/2 citron
150 g de sucre en poudre
3 œufs
225 g de farine
1/2 sachet de levure chimique
50 g de gingembre confit en dés
50 g d'ananas confit en dés
Une pincée de sel.

Muscat de Beaumes-de-Venise : aux arômes de miel et d'amande grillée, servi à 10 °C.

Cake à la banane et aux noix

✗ ✗ ◎◎

6 pers.

Préparation : 20 min
Cuisson : 1 h

135 g de beurre
125 g de sucre en poudre
2 œufs
250 g de farine
1 paquet de levure chimique
80 g de cerneaux de noix
3 bananes bien mûres
1 pincée de cannelle en poudre.

Coteaux du Layon :
un vin moelleux, à
servir de 8 à 10 °C.

Beurrer un moule à cake.

Dans une terrine, mélanger 125 g de beurre ramolli avec le sucre jusqu'à l'obtention d'une crème homogène. Incorporer les œufs, la farine et la levure tout en remuant.

Mixer les cerneaux de noix et les bananes puis les ajouter à la pâte. Ajouter la cannelle. Remuer jusqu'à ce que le mélange soit homogène.

Verser cette pâte dans le moule.

Cuire au four préchauffé à 180 °C (th. 6) pendant 1 heure. Une lame de couteau plantée dans le cake doit ressortir sèche. Laisser refroidir avant de servir.

Cake aux carottes

Beurrer un moule à cake.

Dans une terrine, battre les œufs avec le sucre jusqu'à l'obtention d'une crème homogène. Incorporer petit à petit la farine, la levure et le sel. Délayer avec le lait et l'huile. Ajouter les carottes râpées, la poudre d'amande, la noix de coco et les épices.

Verser cette pâte dans le moule. Cuire au four préchauffé à 180 °C (th. 6) pendant 45 minutes. Une lame de couteau plantée dans le cake doit ressortir sèche. Démouler et laisser refroidir avant de servir.

6 pers.

Préparation : 20 min
Cuisson : 45 min

10 g de beurre
3 œufs
150 g de sucre en poudre
250 g de farine
1 sachet de levure chimique
5 cl de lait
5 cl d'huile
300 g de carottes râpées
120 g de poudre d'amande
50 g de noix de coco râpée
1/2 cuil. à café de cannelle en poudre
1/2 cuil. à café de noix de muscade râpée
Une pincée de sel.

Vin d'Anjou : vin blanc moelleux, frais et nerveux, servi de 8 à 10 °C.

Cake au chocolat

XX ⊙⊙

6 pers.

Préparation : 20 min
Cuisson : 45 min

110 g de beurre
100 g de chocolat noir à
dessert
100 g de sucre en poudre
3 œufs
200 g de farine
1/2 sachet de levure
chimique.

Loupiac : vin blanc liquoreux d'une grande finesse, servi de 6 à 8 °C.

Couper le chocolat en morceaux et le faire fondre au bain-marie avec 1 cuillerée à soupe d'eau.

Dans une terrine, fouetter 100 g de beurre ramolli et le sucre jusqu'à l'obtention d'une crème. Incorporer le chocolat fondu puis les œufs un à un tout en fouettant.

Ajouter la farine et la levure. Verser cette préparation dans le moule.

Cuire au four préchauffé à 180 °C (th. 6) pendant 45 minutes. Une lame de couteau plantée dans le cake doit ressortir sèche. Démouler et laisser refroidir avant de servir.

Cake au chocolat, aux noix et aux figues

Équeuter les figues, les découper en dés, les déposer dans une coupelle et les arroser de rhum. Émietter les cerneaux de noix.

Casser le chocolat en morceaux et le faire fondre au bain-marie.

Dans une terrine, fouetter 250 g de beurre ramolli avec le sucre jusqu'à l'obtention d'une crème homogène, puis ajouter le chocolat tiédi. Mélanger longuement. Incorporer les œufs un à un à cette préparation, puis la farine, le cacao, la levure, une pincée de sel, les épices, les figues avec le rhum et les noix.

Verser la pâte dans un moule à cake beurré. Cuire au four préchauffé à 240 °C (th. 8) pendant 10 minutes puis baisser le thermostat à 180 °C (th. 6) et achever la cuisson pendant 40 à 45 minutes. Une lame de couteau plantée dans le cake doit ressortir sèche. Laisser tiédir le cake pendant 10 minutes puis le démouler sur une grille. Laisser refroidir.

Ce cake sera délicieux le lendemain.

XX ©©©

6 pers.

Préparation : 20 min
Cuisson : 55 min

200 g de figues sèches
2 cuil. à soupe de rhum
100 g de cerneaux de noix
100 g de chocolat noir
260 g de beurre
250 g de sucre en poudre
5 œufs
250 g de farine
30 g de cacao amer
1/2 sachet de levure chimique
1/2 cuil. à café de cannelle
1/2 cuil. à café d'extrait de vanille
Deux clous de girofle réduits en poudre
2 pincées de gingembre en poudre
Une pincée de sel.

Loupiac : idéal avec ce dessert au chocolat, servi de 6 à 8 °C.

47

Cake marbré vanille-chocolat

XX ⊘⊘

6 pers.

Préparation : 30 min
Cuisson : 40 min

3 œufs
110 g de beurre
125 g de sucre en poudre
20 cl de lait
250 g de farine
100 g de fécule de pomme de terre
3/4 de sachet de levure chimique
1 cuil. à café d'extrait de vanille liquide
35 g de cacao en poudre non sucré
Une pincée de sel.

Vin de Paille : ce vin capiteux, servi à 8 °C, est également apprécié à l'apéritif.

Séparer les blancs d'œufs des jaunes.

Dans une terrine, battre 100 g de beurre ramolli avec le sucre jusqu'à l'obtention d'une crème homogène.

Incorporer les jaunes d'œufs et le lait. Ajouter, peu à peu, la farine, la fécule et la levure. Bien mélanger.

Ajouter une pincée de sel aux blancs d'œufs et les monter en neige ferme. Les incorporer délicatement au mélange précédent.

Séparer la pâte en deux quantités égales. Ajouter l'extrait de vanille dans l'une et le cacao dans l'autre. Verser une couche de pâte à la vanille au fond d'un moule à cake beurré puis une couche de pâte au cacao et ainsi de suite jusqu'à épuisement des deux mélanges.

Cuire au four préchauffé à 180 °C (th. 6) pendant 40 minutes. Une lame de couteau plantée dans le cake doit ressortir sèche. Laisser refroidir avant de démouler et de servir.

Cake marbré au chocolat et aux dattes

Retirer le noyau des dattes, hacher ces dernières grossièrement, les déposer dans un bol et arroser de jus d'orange ; laisser macérer.

Dans une terrine, battre le sucre, le sucre vanillé et 200 g de beurre ramolli jusqu'à l'obtention d'une crème homogène.

Ajouter les œufs un à un, puis la farine et la levure.

Diviser la pâte en deux parts égales. Incorporer le cacao dans l'une et les dattes égouttées dans l'autre.

Verser, en les alternant, ces deux pâtes dans un moule à cake beurré. Cuire au four préchauffé à 150 °C (th. 5) pendant 1 heure. Une lame de couteau plantée dans le cake doit ressortir sèche. Laisser reposer 5 minutes avant de démouler. Servir froid.

XX ☺☺

6 pers.

Préparation : 30 min
Cuisson : 1 h

150 g de dattes
3 cuil. à soupe de jus d'orange
125 g de sucre en poudre
1 sachet de sucre vanillé
210 g de beurre
3 œufs
250 g de farine
1/2 sachet de levure chimique
40 g de cacao amer en poudre.

Clairette de Die : blanc brut des Côtes-du-Rhône, servi de 8 à 10 °C.

49

Cake aux deux chocolats

6 pers.

Préparation : 30 min
Cuisson : 45 min

100 g de chocolat noir
100 g de chocolat blanc
3 œufs
80 g de sucre en poudre
110 g de beurre
200 g de farine
1/2 sachet de levure
chimique
5 cl de lait
Une pincée de sel.

Banyuls : un des rares vins qui aille avec le chocolat, servi de 10 à 12 °C.

Faire fondre les deux chocolats dans deux casseroles au bain-marie sur feu doux.

Séparer les blancs d'œufs des jaunes. Monter les blancs en neige ferme avec une pincée de sel.

Dans une terrine, battre les jaunes d'œufs et le sucre jusqu'à l'obtention d'une crème homogène. Ajouter 100 g de beurre ramolli en fouettant puis la farine et la levure. Délayer avec le lait. Diviser cette pâte en deux parts égales réparties dans deux saladiers.

Ajouter le chocolat noir fondu dans un des saladiers puis le chocolat blanc dans l'autre. Incorporer la moitié des blancs d'œufs dans un des saladiers et l'autre moitié dans le second.

Verser les pâtes dans un moule à cake beurré en alternant les couches. Cuire au four préchauffé à 180 °C (th. 6) pendant 45 minutes.

Une lame de couteau plantée dans le cake doit ressortir sèche. Démouler sur une grille et laisser refroidir.

Cake aux zestes d'agrumes et aux pépites de chocolat

Couper les zestes d'agrumes en petits dés puis les fariner.

Dans une terrine, mélanger le beurre ramolli et le sucre jusqu'à l'obtention d'une crème homogène.

Incorporer les œufs un à un en battant bien puis ajouter le reste de farine, la levure et enfin les zestes d'agrumes et les pépites de chocolat.

Verser cette pâte dans un moule à cake beurré.

Cuire au four préchauffé à 160 °C (th. 5-6) pendant 1 heure environ (mettre une feuille de papier d'aluminium sur le moule si le dessus brunit trop vite). Une lame de couteau plantée dans le cake doit ressortir sèche. Laisser reposer le cake 15 minutes avant de le démouler puis laisser refroidir.

✗ ✇✇

6 pers.

Préparation : 20 min
Cuisson : 1 h

150 g de zestes d'agrumes confits assortis (orange, pamplemousse, citron, mandarine)
150 g de farine + 1 cuil. à soupe pour les zestes
135 g de beurre
125 g de sucre en poudre
3 œufs
1 sachet de levure chimique
60 g de pépites de chocolat.

Maury : vin doux naturel puissant et riche en arômes, servi de 10 à 12 °C.

Petits cakes au citron

XX ⊚

4 pers.

Préparation : 20 min
Cuisson : 25 min

1 citron non traité
3 œufs :
leur poids en beurre + 20 g
pour les moules
leur poids en sucre en
poudre
leur poids en farine
4 g de levure chimique
4 cuil. à soupe de sucre cris-
tallisé
Une pincée de sel.

Muscat de Mireval :
un vin doux naturel, à
servir de 10 à 12 °C.

Laver et sécher le citron, râper finement son zeste.

Dans une terrine, fouetter le beurre ramolli, puis incorporer le sucre en poudre et le sel et tourner jusqu'à obtention d'une crème homogène.

Incorporer les œufs l'un après l'autre, puis la farine, la levure et les zestes de citron.

Répartir la pâte dans les 8 petits moules à cake beurrés et saupoudrer de sucre cristallisé. Cuire au four préchauffé à 180 °C (th. 6) pendant 20 à 25 minutes. Une lame de couteau plantée dans le cake doit ressortir sèche. Laisser tiédir avant de les démouler sur une grille. Servir froid.

Cake écossais

Prélever les zestes du citron et de l'orange. Faire tremper les raisins, les fruits confits assortis grossièrement hachés, les cerises confites entières et les zestes dans le whisky.

Dans une terrine, fouetter 200 g de beurre ramolli et la cassonade jusqu'à l'obtention d'une crème homogène.

Incorporer les œufs un à un tout en fouettant. Ajouter la farine et la levure en mélangeant bien. Égoutter les fruits confits. Conserver l'alcool et l'ajouter au mélange.

Rouler les fruits confits, les zestes, les raisins et les amandes effilées dans la farine. Incorporer les fruits farinés à la pâte puis le miel et les épices.

Verser cette pâte dans un moule à cake beurré. Cuire au four préchauffé à 150 °C (th. 5) pendant 2 heures en prenant garde que le dessus ne brunisse pas trop vite, sinon le couvrir d'un papier d'aluminium Vérifier la cuisson, une lame de couteau plantée dans le cake doit ressortir sèche. Démouler et laisser refroidir avant de servir.

XX ⊚⊚⊚
8 pers.

Préparation : 30 min
Cuisson : 2 h
Trempage : 1 h

1 citron non traité
1 orange non traitée
100 g de raisins
100 g de fruits confits assortis
100 g de cerises confites
1/2 verre de whisky
210 g de beurre salé
200 g de cassonade
4 œufs
250 g de farine + 1 cuil. à soupe pour fariner les fruits
1/2 sachet de levure chimique
75 g d'amandes effilées
2 cuil. à soupe de miel liquide
1/2 cuil. à café de cannelle en poudre
Une pincée de noix de muscade
1/4 de cuillère à café de gingembre moulu.

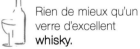

Rien de mieux qu'un verre d'excellent **whisky.**

Cake aux fruits confits

6 pers.

Préparation : 1 h 20 min
Cuisson : 50 min

100 g de fruits confits variés
100 g de raisins secs
1/2 verre de rhum
175 g de beurre
125 g de sucre en poudre
3 œufs
250 g de farine
1 paquet de levure chimique
Une pincée de sel.

Coteaux du Layon : vin blanc moelleux fruité et délicat, servi de 8 à 10 °C.

Couper les fruits confits en dés et les faire macérer avec les raisins dans un mélange de rhum et d'eau pendant 1 heure.

Beurrer un moule à cake.

Fouetter 165 g de beurre ramolli et le sucre jusqu'à l'obtention d'une crème homogène. Ajouter les œufs un à un, la farine, la levure, le sel et les fruits macérés.

Verser la préparation dans un moule à cake beurré. Cuire au four préchauffé à 170 °C (th. 5-6) pendant 50 minutes. Une lame de couteau plantée dans le cake doit ressortir sèche. Démouler sur une grille et laisser refroidir avant de servir.

Cake aux fruits rouges et aux amandes

6 pers.

Préparation : 20 min
Cuisson : 45 min

200 g de fruits rouges assortis (groseilles, framboises, mûres, cassis)
150 g de farine
1/2 sachet de levure chimique
150 g de sucre en poudre
3 œufs
160 g de beurre
80 g d'amandes en poudre.

Rasteau : vin aux arômes de fruits rouges, servi à 10 °C.

Passer les fruits rouges rapidement sous l'eau et les égoutter sur du papier absorbant.

Dans une terrine, mélanger la farine, la levure et le sucre. Ajouter les œufs un à un puis 150 g de beurre ramolli en fouettant. Incorporer les amandes en poudre puis les fruits rouges.

Verser cette pâte dans un moule à cake beurré. Cuire au four préchauffé à 180 °C (th. 6) pendant 45 minutes. Une lame de couteau plantée dans le cake doit ressortir sèche. Laisser refroidir avant de démouler.

Cake aux épices

XX ⊙⊙

6 pers.

Préparation : 20 min
Cuisson : 50 min

10 g de beurre
1 citron non traité
1 orange non traitée
1 œuf + 1 jaune
150 g de sucre en poudre
250 g de farine
1/2 sachet de levure
chimique
20 cl de lait
125 g d'amandes en poudre
1 cuil. à café de cannelle en
poudre
1 cuil. à café de noix de
muscade râpée
1 cuil. à café de girofle en
poudre
Sel.

Crémant d'Alsace :
vin blanc mousseux
fruité, servi de 6 à
8 °C.

Beurrer un moule à cake.

Râper le zeste du citron et de l'orange.

Dans une terrine, déposer l'œuf et le jaune, ajouter le sucre en fouettant jusqu'à l'obtention d'une crème homogène. Incorporer petit à petit la farine et la levure, puis délayer avec le lait. Ajouter les zestes de fruits, la poudre d'amande, les épices et une pincée de sel. Bien mélanger.

Verser cette pâte dans le moule. Cuire au four préchauffé à 180 °C (th. 6) pendant 50 minutes. Une lame de couteau plantée dans le cake doit ressortir sèche. Démouler et laisser refroidir avant de servir.

Cake au gingembre

Découper les fruits confits en dés.

Dans une terrine, mélanger 200 g de beurre ramolli, le sucre et le sucre vanillé jusqu'à l'obtention d'une crème. Ajouter les œufs un à un en fouettant puis, petit à petit, incorporer la farine, la levure, les épices et les fruits confits.

Verser cette pâte dans un moule à cake beurré. Cuire au four préchauffé à 180 °C (th. 6) pendant 50 minutes. Une lame de couteau plantée dans le cake doit ressortir sèche.

Démouler et laisser refroidir.

6 pers.

Préparation : 20 min
Cuisson : 50 min

50 g de gingembre confit
30 g d'écorce d'orange confite
210 g de beurre
200 g de sucre en poudre
1 sachet de sucre vanillé
4 œufs
200 g de farine
1/2 sachet de levure chimique
1 cuil. à café de gingembre en poudre
1 cuil. à café de cannelle en poudre.

Graves : vin blanc moelleux, servi de 8 à 10 °C.

Cake irlandais

6 pers.

Préparation : 30 min
Cuisson : 1 h
Repos : 2 h

200 g de raisins secs
60 g de fruits confits
30 cl de lait
450 g de farine
1 cuil. à café de cannelle en
poudre
1/2 cuil. à café de noix de
muscade râpée
70 g de beurre
25 g de levure de boulanger
100 g de sucre en poudre +
1 cuil. à café
1 œuf
1/2 cuil. à café de sel.

Loupiac : vin blanc
liquoreux du
Sud-Ouest,
servi de 6 à 8 °C.

Faire macérer les raisins secs dans de l'eau tiède. Découper les fruits confits en morceaux. Mettre le lait à tiédir.

Dans une terrine, déposer la farine, le sel et les épices. Ajouter 60 g de beurre en mélangeant avec les mains.

Dans un ramequin, mélanger la levure avec 1 cuillerée à café de sucre et 1 cuillerée à café de lait tiède.

Ajouter le reste de sucre au mélange farine-beurre.

Ajouter le reste de lait tiède et l'œuf battu à la levure puis incorporer ce mélange à la farine. Bien mélanger, de préférence au batteur, pendant 5 minutes.

Ajouter délicatement les fruits confits et les raisins secs égouttés.

Couvrir la terrine d'un torchon et laisser reposer la pâte pendant 1 heure 30 minutes.

Beurrer un moule à cake, y déposer la pâte, couvrir et laisser reposer encore 30 minutes.

Faire cuire au four préchauffé à 190 °C (th. 6-7) pendant 1 heure. Une lame de couteau plantée dans le cake doit ressortir sèche. Démouler et laisser refroidir avant de servir.

Cake à la fleur d'oranger

Dans une terrine, mélanger 250 g de beurre ramolli et le sucre jusqu'à l'obtention d'une crème homogène. Ajouter la farine, la levure et les œufs un à un en fouettant. Parfumer avec l'eau de fleur d'oranger.

Verser cette pâte dans un moule à cake beurré. Cuire au four préchauffé à 180 °C (th. 6) pendant 45 minutes. Une lame de couteau plantée dans le cake doit ressortir sèche. Démouler et laisser refroidir avant de servir.

✗ ⊚⊚

6 pers.

Préparation : 20 min
Cuisson : 45 min

260 g de beurre
250 g de sucre en poudre
250 g de farine
1/2 sachet de levure chimique
4 œufs
4 cuil. à soupe d'eau de fleur d'oranger.

 Une tasse de tisane à la fleur d'oranger glacée.

Cake à la purée de marrons

XX 〰〰

6 pers.

Préparation : 20 min
Cuisson : 45 min

110 g de beurre
300 g de purée de marrons
20 cl de lait
3 œufs
100 g de sucre en poudre
1 sachet de sucre vanillé
200 g de farine
1 sachet de levure chimique

 Barsac : vin blanc liquoreux rond et harmonieux, servi de 8 à 10 °C.

Dans une casserole, faire fondre 100 g de beurre à feu doux, ajouter la purée de marrons et délayer avec 10 cl de lait en fouettant. Réserver.

Dans une terrine, fouetter les œufs avec le sucre et le sucre vanillé jusqu'à l'obtention d'une crème homogène. Ajouter peu à peu la farine et la levure.

Délayer avec 10 cl de lait, puis incorporer la purée de marrons en mélangeant bien. Verser cette pâte dans un moule à cake beurré.

Cuire au four préchauffé à 180 °C (th. 6) pendant 45 minutes. Une lame de couteau plantée dans le cake doit ressortir sèche. Démouler et laisser refroidir.

Servir accompagné de crème fouettée.

Cake aux marrons glacés et aux amandes

X 〰〰〰

6 pers.

Préparation : 20 min
Cuisson : 45 min

250 g de farine
1 sachet de levure chimique
200 g de sucre en poudre
5 œufs
260 g de beurre
90 g de sucre glace
90 g de poudre d'amande
100 g de brisures de marrons glacés.

Banyuls : vin vif aux arômes de miel et d'amandes grilllées, servi de 10 à 12 °C.

Dans une terrine, mélanger la farine, la levure et le sucre. Ajouter les œufs un à un puis 250 g de beurre ramolli en fouettant. Incorporer le sucre glace, la poudre d'amande puis les brisures de marrons glacés.

Verser cette pâte dans un moule à cake beurré. Cuire au four préchauffé à 180 °C (th. 6) pendant 45 minutes. Une lame de couteau plantée dans le cake doit ressortir sèche. Démouler et laisser refroidir.

Minicakes au miel

XXX ⌒⌒⌒

4 pers.

Préparation : 25 min
Cuisson : 25 min

90 g de beurre salé
100 g de miel
30 g de farine de sarrasin
70 g de farine de blé
180 g de sucre en poudre
1/2 cuil. à café de cannelle
Deux pincées de noix de muscade râpée
1/2 sachet de levure chimique
1 œuf
6 cl de lait
1 orange
1/2 citron jaune
20 cl de crème fraîche liquide
1/2 l de glace (cannelle, figue, vanille, miel, épices).

Champagne 1/2 sec blanc, servi de 6 à 8 °C.

Faire fondre 40 g de beurre avec le miel.

Dans une terrine, mélanger les farines, 30 g de sucre, la cannelle, la muscade, la levure, l'œuf et le lait. Ajouter progressivement le beurre au miel à cette préparation.

Verser la pâte dans 4 moules à cake individuels beurrés et cuire au four préchauffé à 180 °C (th. 6) pendant 20 minutes. Une lame de couteau plantée dans le cake doit ressortir sèche. Démouler et laisser refroidir.

Caraméliser le reste de sucre avec 1 cuillerée à café d'eau dans une casserole. Arroser du jus de l'orange et d'un trait de jus de citron. Ajouter la crème fraîche liquide, porter à ébullition en mélangeant. Faire réduire pendant 5 minutes. Hors du feu, incorporer au fouet 30 g de beurre découpé en parcelles.

Disposer sur chaque assiette un minicake, 1 cuillerée à soupe de sauce caramel et une boule de glace.

Cake au miel et aux fruits secs

Dans une terrine, mélanger 350 g de farine, la levure, la cassonade et le sel. Ajouter tous les fruits secs et mélanger.

Dans un autre récipient, fouetter 250 g de beurre ramolli avec le miel. Ajouter les œufs un à un en battant. Parfumer d'essence d'orange amère ou de pistache et ajouter le mélange farine et fruits secs.

Bien mélanger et verser cette pâte dans un moule à cake beurré et fariné.

Cuire au four préchauffé à 210 °C (th. 7) pendant 50 minutes. Une lame de couteau plantée dans le cake doit ressortir sèche. Démouler le cake sur une grille et le laisser refroidir avant de servir.

XX ⊘⊘⊘

6 pers.

Préparation : 30 min
Cuisson : 50 min

350 g de farine + 1 cuil. à soupe pour le moule
1 sachet de levure chimique
100 g de cassonade
150 g de dattes dénoyautées et hachées
150 g de figues sèches hachées
100 g de raisins secs
100 g de noisettes
50 g d'amandes
260 g de beurre
100 g de miel
3 œufs
3 gouttes d'essence d'orange amère ou de pistache
1/2 cuil. à café de sel.

Muscat de Mireval : vin doux et mielleux ou fruité, servi de 10 à 12 °C.

Cake au miel et aux noix

6 pers.

Préparation : 20 min
Cuisson : 45 min

150 g de cerneaux de noix
100 g de sucre en poudre
110 g de beurre
3 œufs
150 g de farine
1 sachet de levure chimique
100 g de miel.

Arbois vin jaune :
idéal avec les noix,
servi de 15 à 16 °C.

Concasser les cerneaux de noix.

Dans une terrine, battre le sucre et 100 g de beurre ramolli jusqu'à l'obtention d'une crème homogène.

Ajouter les œufs un à un puis la farine, la levure, le miel et les cerneaux de noix.

Verser cette pâte dans un moule à cake beurré. Cuire au four préchauffé à 180 °C (th. 6) pendant 45 minutes. Une lame de couteau plantée dans le cake doit ressortir sèche. Démouler et laisser refroidir avant de servir.

Cake aux mûres

Dans une terrine, mélanger les œufs et le sucre en fouettant. Incorporer peu à peu la farine, la levure puis 80 g de beurre ramolli. Ajouter le yaourt et les mûres puis mélanger délicatement.

Verser cette pâte dans un moule à cake beurré. Cuire au four préchauffé à 180 °C (th. 6) pendant 45 minutes. Une lame de couteau plantée dans le cake doit ressortir sèche. Laisser tiédir avant de démouler. Servir froid.

6 pers.

Préparation : 20 min
Cuisson : 45 min

3 œufs
125 g de sucre en poudre
200 g de farine
1 sachet de levure chimique
90 g de beurre
1 yaourt
300 g de mûres.

Graves blanc moelleux : tendre, souple et délicat, servi de 8 à 10 °C.

Cake à la noix de coco

6 pers.

Préparation : 20 min
Cuisson : 45 min

125 g de farine
1 sachet de levure chimique
3 œufs
110 g de beurre
100 g de sucre en poudre
1 cuil. à soupe d'extrait de vanille
150 g de noix de coco
3 cuil. à soupe de confiture.

Vin de Paille : vin naturellement capiteux, doux, servi à 8 °C.

Dans une terrine, mélanger la farine et la levure. Ajouter les œufs un à un en fouettant, puis 100 g de beurre ramolli et le sucre. Incorporer l'extrait de vanille et 120 g de noix de coco. Verser cette pâte dans un moule à cake beurré et cuire au four préchauffé à 180 °C (th. 6) pendant 45 minutes.

Une lame de couteau plantée dans le cake doit ressortir sèche. Démouler le cake et le déposer sur un plat. Faire fondre la confiture, en badigeonner le gâteau et saupoudrer du restant de noix de coco. Laisser refroidir avant de servir.

Cake aux noix et au citron

Prélever le zeste des citrons et presser le jus de l'un d'eux. Séparer les blancs d'œufs des jaunes. Monter les blancs en neige ferme avec une pincée de sel.

Dans une terrine, fouetter les jaunes d'œufs et le sucre. Ajouter 120 g de beurre ramolli puis la farine et la levure.

Délayer avec le lait et 2 cuillerées à soupe de jus de citron. Incorporer délicatement les noix puis les blancs d'œufs.

Verser cette pâte dans un moule à cake beurré. Cuire au four préchauffé à 180 °C (th. 6) pendant 45 minutes.

Une lame de couteau plantée dans le cake doit ressortir sèche. Laisser tiédir avant de démouler. Servir froid.

6 pers.

Préparation : 30 min
Cuisson : 45 min

2 citrons
3 œufs
90 g de sucre en poudre
130 g de beurre
180 g de farine
1/2 sachet de levure
chimique
15 cl de lait
50 g de noix hachées
Une pincée de sel.

Banyuls : vin aux accents de fruits secs, servi de 10 à 12 °C.

Cake aux noix et aux figues

6 pers.

Préparation : 20 min
Cuisson : 45 min

200 g de figues sèches
100 g de cerneaux de noix
135 g de beurre
150 g de sucre en poudre
3 œufs
150 g de farine
1 sachet de levure chimique
10 cl de café fort
30 g de pépites de chocolat.

Maury : vin doux naturel riche en arômes, puissant et charpenté, servi de 10 à 12 °C.

Couper les figues en dés et concasser les cerneaux de noix.

Dans une terrine, fouetter 125 g de beurre ramolli et le sucre jusqu'à l'obtention d'une crème homogène. Ajouter les œufs un à un tout en fouettant puis la farine, la levure et le café. Incorporer les noix, les figues et les pépites de chocolat. Mélanger.

Verser cette pâte dans un moule à cake beurré.

Cuire au four préchauffé à 180 °C (th. 6) pendant 45 minutes. Une lame de couteau plantée dans le cake doit ressortir sèche. Démouler et laisser refroidir avant de servir.

Cake aux noix et aux pruneaux

Dénoyauter les pruneaux, les couper en dés et les faire tremper dans l'armagnac.

Concasser les noix.

Dans une terrine, fouetter 125 g de beurre ramolli et le sucre jusqu'à l'obtention d'une crème. Incorporer les œufs un à un tout en fouettant.

Ajouter la farine et la levure en mélangeant bien, puis la poudre d'amande, les noix concassées, les pruneaux et l'armagnac.

Verser cette préparation dans un moule à cake beurré.

Cuire au four préchauffé à 170 °C (th. 5-6) pendant 45 minutes. Une lame de couteau plantée dans le cake doit ressortir sèche. Laisser refroidir avant de démouler et de servir.

XX ◎◎

6 pers.

Préparation : 20 min
Cuisson : 45 min

200 g de pruneaux
2 cl d'armagnac
125 g de cerneaux de noix
135 g de beurre
250 g de sucre en poudre
5 œufs
80 g de farine
1/2 sachet de levure chimique
125 g de poudre d'amande.

 Côtes du Jura : légèrement fruité et capiteux, servi de 12 à 14 °C.

Cake à l'orange

6 pers.

Préparation : 20 min
Cuisson : 45 min

2 oranges non traitées
4 œufs
160 g de beurre
150 g de sucre en poudre
125 g de farine
1/2 sachet de levure
chimique
Une pincée de sel.

Vin de Paille : également très apprécié à l'apéritif, servi à 8 °C.

Râper le zeste des oranges et les presser. Séparer les blancs d'œufs des jaunes. Ajouter une pincée de sel aux blancs et les monter en neige.

Dans une terrine, fouetter 150 g de beurre ramolli et le sucre jusqu'à l'obtention d'une crème homogène.

Ajouter les jaunes d'œufs, puis, petit à petit, la farine, la levure et les zestes d'orange. Incorporer délicatement les blancs d'œufs montés en neige.

Verser cette pâte dans un moule à cake beurré.

Cuire au four préchauffé à 180 °C (th. 6) pendant 45 minutes. Une lame de couteau plantée dans le cake doit ressortir sèche. Démouler le cake sur une grille, l'arroser du jus d'orange et le laisser refroidir avant de servir.

Cake aux pêches et au miel

Faire tiédir 50 cl d'eau, ajouter le miel et porter à ébullition. Laver les pêches. Avec un couteau pointu, inciser le dessus des fruits en forme de croix. Les plonger dans l'eau et laisser cuire pendant 2 minutes. Laisser refroidir dans le sirop.

Dans une terrine, mélanger les œufs et le sucre en fouettant. Incorporer peu à peu la farine, la levure puis 150 g de beurre ramolli. Égoutter les pêches et les couper en quartiers.

Dans un moule à cake beurré, verser une couche de pâte, déposer la moitié des pêches par-dessus, renouveler l'opération en terminant par les pêches.

Cuire au four préchauffé à 180 °C (th. 6) pendant 45 minutes. Une lame de couteau plantée dans le cake doit ressortir sèche. Laisser tiédir avant de démouler. Servir froid.

XX ∞∞

6 pers.

Préparation : 25 min
Cuisson : 50 min

20 cl de miel d'acacia liquide
4 pêches jaunes
3 œufs
150 g de sucre en poudre
150 g de farine
1/2 sachet de levure chimique
160 g de beurre.

 Vin de Savoie : vin blanc vif au bouquet de violettes, servi à 8 °C.

Cake aux pommes

✕✕◎

6 pers.

Préparation : 15 min
Cuisson : 1 h

2 pommes
135 g de beurre
125 g de sucre en poudre
3 œufs
215 g de farine
1/2 sachet de levure
chimique
40 g d'amandes effilées
5 cl de calvados ou de rhum.

 Rien de mieux qu'un verre de **cidre brut,** servi de 8 à 10 °C.

Éplucher les pommes et les couper en petits dés.

Dans une terrine, fouetter 125 g de beurre ramolli et le sucre jusqu'à l'obtention d'une crème homogène. Incorporer les œufs un à un en mélangeant vigoureusement. Ajouter 200 g de farine, la levure et les dés de pomme. Verser cette pâte dans un moule à cake beurré et fariné, égaliser la surface et saupoudrer d'amandes effilées.

Cuire au four préchauffé pendant 1 heure environ à 150 °C (th. 5). Une lame de couteau plantée dans le cake doit ressortir sèche. À la sortie du four, arroser le cake de calvados ou de rhum et le laisser reposer pendant 15 minutes dans son moule. Démouler le cake sur une grille et le laisser refroidir avant de le servir.

Cake aux pommes et aux poires

Beurrer un moule à cake.

Éplucher les fruits, les découper en morceaux et les fariner.

Dans une terrine, fouetter le sucre et les œufs jusqu'à l'obtention d'une crème homogène. Incorporer, petit à petit, la farine et la levure. Délayer avec l'huile et le yaourt. Ajouter la cannelle et les fruits. Verser cette pâte dans le moule.

Cuire au four préchauffé à 180 °C (th. 6) pendant 1 heure. Une lame de couteau plantée dans le cake doit ressortir sèche. Démouler sur une grille et laisser refroidir avant de servir.

X ⊙⊙

6 pers.

Préparation : 20 min
Cuisson : 1 h

10 g de beurre
2 pommes
2 poires
200 g de farine + 1 cuil. à soupe
100 g de sucre en poudre
3 œufs
1/2 sachet de levure chimique
6 cl d'huile
1 pot de yaourt nature
1 cuil. à café de cannelle en poudre.

Crémant d'Alsace : vin mousseux finement fruité, servi de 6 à 8 °C.

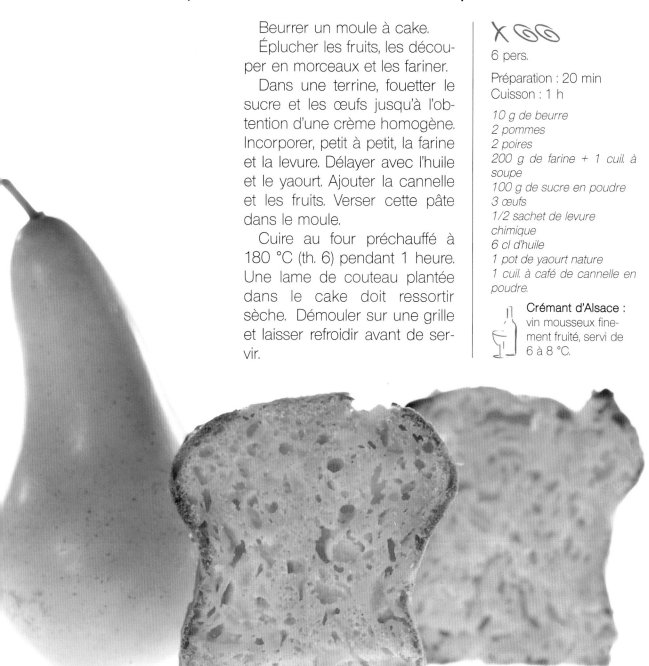

Cake aux poires, au chocolat et aux amandes

X 🥄🥄

6 pers.

Préparation : 20 min
Cuisson : 45 min

1 grosse boîte de poires au sirop
160 g de beurre
150 g de sucre en poudre
3 œufs
150 g de farine
1 sachet de levure chimique
50 g d'amandes en poudre
100 g de pépites de chocolat.

Vin d'Anjou : vin blanc moelleux frais et nerveux, servi de 8 à 10 °C.

Égoutter soigneusement les poires et les couper en dés.

Dans une terrine, fouetter 150 g de beurre ramolli et le sucre jusqu'à l'obtention d'une crème homogène.

Incorporer les œufs un à un en battant bien puis ajouter la farine, la levure et enfin la poudre d'amande, les poires et les pépites de chocolat.

Verser cette pâte dans un moule à cake beurré.

Cuire au four préchauffé à 180 °C (th. 6) pendant 45 minutes. Une lame de couteau plantée dans le cake doit ressortir sèche. Démouler et servir tiède ou froid.

Cake au potiron

Râper la chair du potiron.

Dans une terrine, mélanger les œufs et le sucre en fouettant. Incorporer peu à peu la farine, la levure puis 100 g de beurre ramolli. Ajouter les épices et la chair de potiron puis mélanger.

Verser cette pâte dans un moule à cake beurré. Cuire au four préchauffé à 180 °C (th. 6) pendant 50 minutes. Une lame de couteau plantée dans le cake doit ressortir sèche. Laisser tiédir avant de démouler. Servir froid.

✗ ✗ ◌◌

6 pers.

Préparation : 30 min
Cuisson : 50 min

400 g de chair de potiron
3 œufs
125 g de sucre en poudre
200 g de farine
1/2 sachet de levure chimique
110 g de beurre
1/2 cuil. à café de mélange « 4 épices » (cannelle, girofle, gingembre, muscade).

Muscat de Rivesaltes : vin doux naturel, servi à 10 °C.

Cake au thé vert

XX ◎◎◎

6 pers.

Préparation : 20 min
Cuisson : 50 min

190 g de beurre
150 g de sucre en poudre
4 œufs
270 g de farine + 1 cuil. à
soupe pour le moule
1/2 sachet de levure
chimique
15 g de thé vert en poudre
(matcha)
Sucre glace
Une pincée de sel.

Rien de mieux qu'une
tasse de **thé vert**
glacé.

Dans une terrine, fouetter 180 g de beurre ramolli et le sucre en poudre jusqu'à l'obtention d'une crème homogène. Ajouter les œufs un à un en continuant de battre.

Ajouter 270 g de farine, la levure, le sel et le thé tout en battant.

Verser cette pâte dans le moule à cake beurré et fariné.

Cuire au four préchauffé pendant 10 minutes à 210 °C (th. 7) puis baisser le thermostat à 150 °C (th. 5) et poursuivre la cuisson pendant 40 minutes.

Une lame de couteau plantée dans le cake doit ressortir sèche.

Laisser tiédir le cake pendant 10 minutes, puis le démouler sur une grille. Laisser refroidir et saupoudrer de sucre glace avant de servir.

Cake au yaourt

Dans une terrine, vider le contenu du pot de yaourt. En utilisant le pot vide, ajouter 1 pot de sucre, 1 pot de farine et 1 pot d'huile tout en remuant. Incorporer les œufs un à un et la levure.

Verser cette pâte dans un moule à cake beurré. Cuire au four préchauffé à 170 °C (th. 5-6) pendant 45 minutes environ.

Une lame de couteau plantée dans le cake doit ressortir sèche. Laisser refroidir sur une grille avant de servir.

Ce cake peut être servi avec de la compote de pommes ou du fromage blanc.

recette Marie :
- 1 pot yaourt
- 2 pots de sucre.
- 3 pots de farine (ou 2 + 1 de poudre d'amande)
ou 1 pot d'huile {
- 3/4 de pot d'huile
- 41/4 de lait, ou rhum ou lait vanillé
- 3 œufs. (ou 2)
- 1 sachet de levure

6 pers.

Préparation : 15 min
Cuisson : 45 min

1 pot de yaourt nature
1 pot de sucre en poudre
1 pot de farine
1 pot d'huile
2 œufs
1 sachet de levure chimique
10 g de beurre

Bordeaux blanc sec
servi de 8 à 10 °C ou en accompagnement d'un apéritif.

Table des Matières

Dépôt légal 2e trim. 2003 - n° 2 757